Maíra Lot Micales

CALIGRAFIA CAMINHO SUAVE
Maíra Lot Micales

1ª edição, 8ª reimpressão 2025.

Copyright desta edição 2020 © by Edipro Edições Profissionais Ltda.

Todos os direitos reservados. Nenhuma parte deste livro poderá ser reproduzida ou transmitida de qualquer forma ou por quaisquer meios, eletrônicos ou mecânicos, incluindo fotocópia, gravação ou qualquer sistema de armazenamento e recuperação de informações, sem permissão por escrito do Editor.

Editores
Jair Lot Vieira e Maíra Lot Vieira Micales

Coordenação editorial
Fernanda Godoy Tarcinalli

Revisão
Francimeire Leme Coelho

Diagramação e Arte
Heloise Gomes Basso e Karine Moreto Massoca

Ilustrações
Eduardo Carlos Pereira (Edu) e Karine Moreto Massoca

Impressão
Gráfica PifferPrint

Dados Internacionais de Catalogação na Publicação (CIP)
(Câmara Brasileira do Livro, SP, Brasil)

Micales, Maíra Lot
    Caligrafia Caminho Suave / Maíra Lot Micales. – São Paulo : Caminho Suave Edições, 2020.

    ISBN 978-85-89987-35-6

    1. Alfabetização 2. Caligrafia 3. Caligrafia (Ensino fundamental) I. Título.

19-31981   CDD-372.634

Índice para catálogo sistemático:
1. Caligrafia : Ensino fundamental : 372.634

Maria Alice Ferreira – Bibliotecária – CRB-8/7964

São Paulo: (11) 3107-7050 • **Bauru:** (14) 3234-4121
www.caminhosuave.art.br • edipro@edipro.com.br
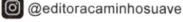 @editoracaminhosuave

Dados Pessoais

Nome:
Endereço:
Telefone:
Data de nascimento:
Grupo sanguíneo:
Alergias:
Mãe:
Telefone:
Pai:
Telefone:
Escola:
Endereço:
Telefone:
Professor(a):
Série:
Outras informações:

Sumário

Apresentação	5
Exercícios para treinar a mão	6
Hora de treinar a escrita	7
Vamos recordar	34
Vamos praticar	37
Números	60
Meus amiguinhos	62

Apresentação

Parabéns por adquirir seu livro de Caligrafia! Com ele você aprenderá e aprimorará uma arte milenar: a arte da escrita. Para isso, vamos conhecer a história da escrita e também aprenderemos porque, no mundo de hoje, apesar do uso dos computadores e da tecnologia, é tão importante saber escrever bem.

A arte da escrita surgiu há mais de 6 mil anos. Inicialmente, as palavras eram representadas por imagens, desenhadas em pedras. E somente há aproximadamente 4 mil anos teve início a escrita alfabética, com o objetivo de representar as palavras tal e qual os sons que pronunciamos na fala.

Aprender a escrever é como desvendar um mistério emocionante. Através da escrita podemos transmitir informações para outras pessoas, em diferentes lugares e momentos. Podemos deixar registros que poderão ser estudados e lidos por muitas gerações mais tarde.

Foi assim que nós tivemos a oportunidade de conhecer a origem da própria escrita e de tudo o que conhecemos, por meio dos escritos que foram deixados pelas gerações anteriores, há muitos anos.

Agora convidamos você a aproveitar esta oportunidade de treinar a sua escrita, para que você possa sempre se comunicar com seus amiguinhos, familiares, professores...

Com este livro, você aprenderá, trilhando um caminho suave, a desenhar letras agradáveis para você e para todos ao seu redor. Isso vai melhorar muito a sua comunicação, pois todos compreenderão com facilidade as suas palavras!

Ele apresenta todas as indicações necessárias para que você aprenda a traçar corretamente as letras, nas proporções adequadas e com o perfeito ajuste das ligações entre elas.

Quando começar a praticar a caligrafia em vez de simplesmente escrever, você descobrirá uma agradável sensação, perceberá um incrível senso de organização, conseguirá escrever com rapidez e de forma legível, e então sentirá que este é um desafio para a sua mente e para o seu coração!

Lembre-se de que este aprendizado vai te acompanhar por toda a sua vida!

Vamos lá?!

Seja bem-vindo(a)!

Maíra Lot Micales

Hora de treinar a escrita

Nas próximas páginas você treinará a escrita de todas as letras do alfabeto e também dos números. Pronto(a) para começar?

Alfabeto

A a   F f   K k   P p   U u

B b   G g   L l   Q q   V v

C c   H h   M m   R r   W w

D d   I i   N n   S s   X x

E e   J j   O o   T t   Y y

Z z

Números

0 1 2 3 4 5 6 7 8 9

a a a a

A A A A

a a a a

a

a a a a

a

a a

e e e e

E E E E

ℓ ℓ ℓ ℓ

ℓ

Ɛ Ɛ Ɛ Ɛ

Ɛ

ℓ Ɛ

o O

o O

o o o o

O O O O

o o o o

o

O O O O

O

o O

A B C D E F G H I J K L M N O P Q R S T U V W X Y Z

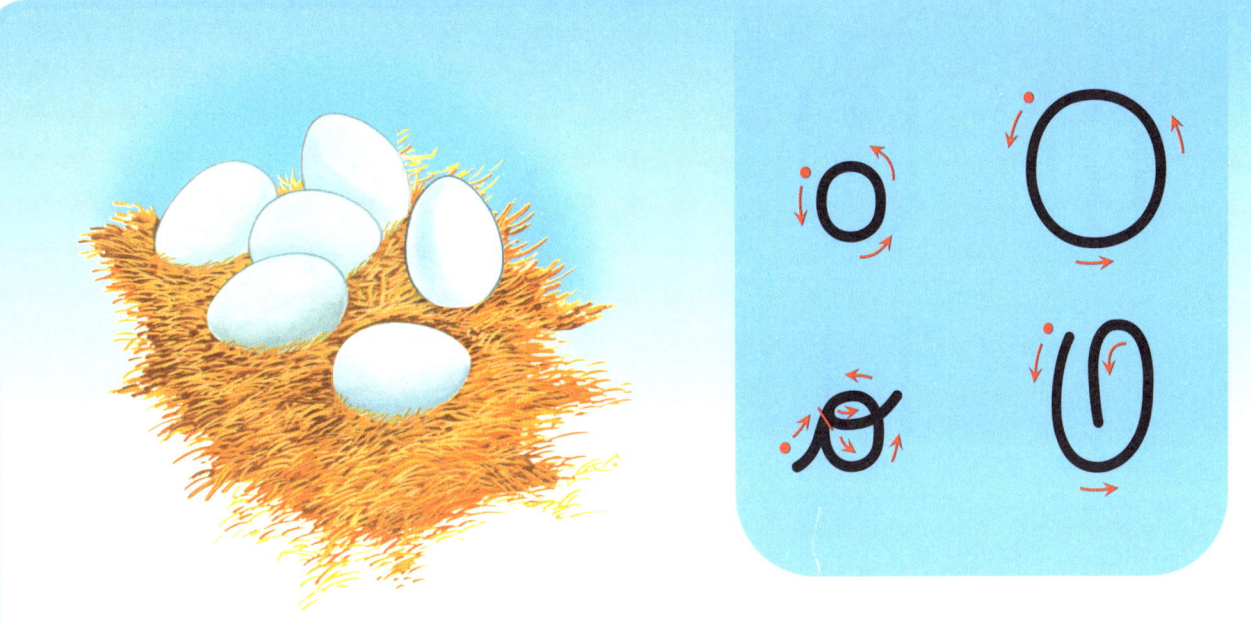

u U

u U

u u u u

U U U U

u u u u

u

U U U U

U

u U

a b c d e f g h i j k l m n o p q r s t u v w x y z

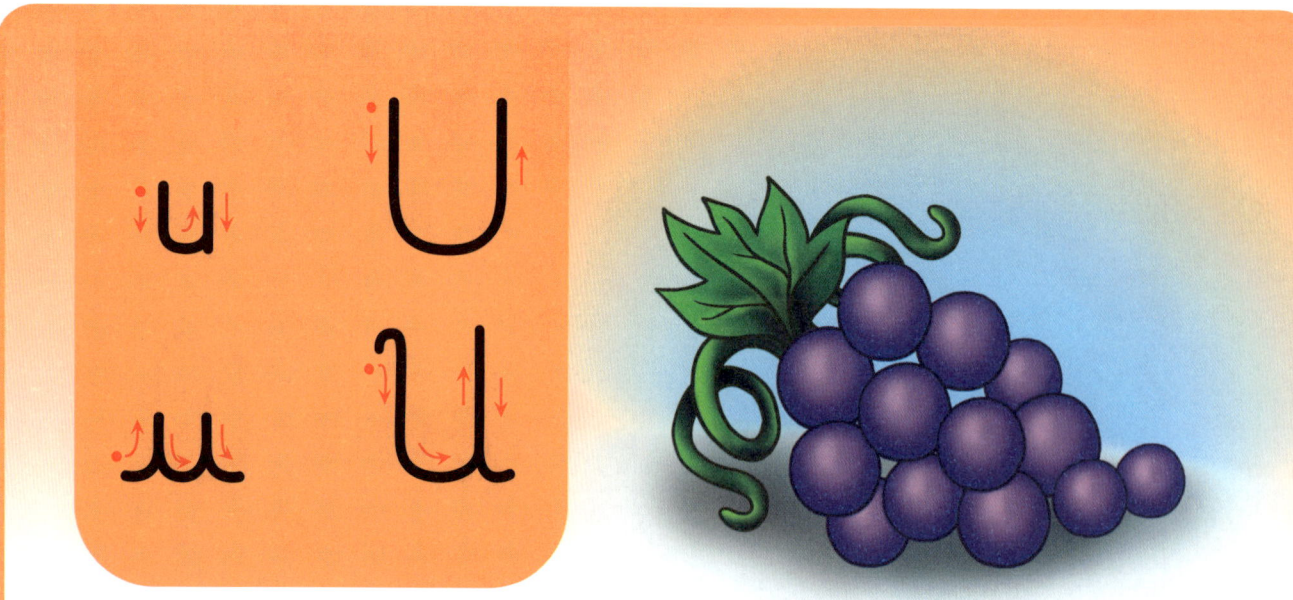

b b b b

B B B B

b b b b

b

B B B B

B

b B

c C

c C

a b c d e f g h i j k l m n o p q r s t u v w x y z

c c c c

C C C C

c c c c

c

C C C C

C

c C

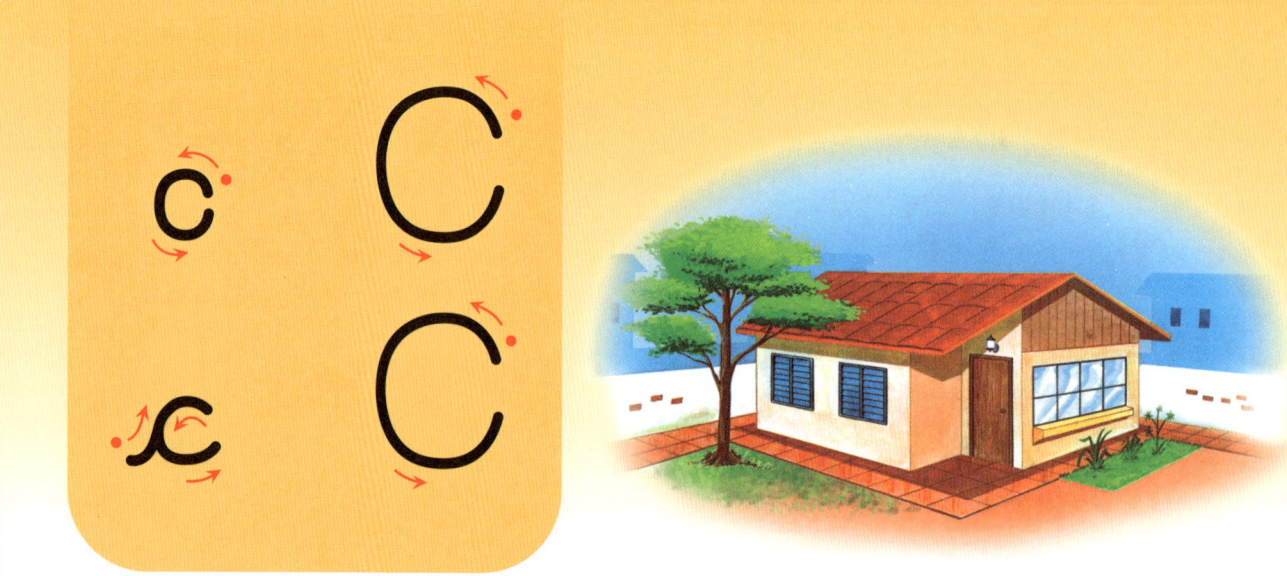

f F

f F

a b c d e f g h i j k l m n o p q r s t u v w x y z

f f f f

F F F F

f f f f

f

F F F F

F

f F

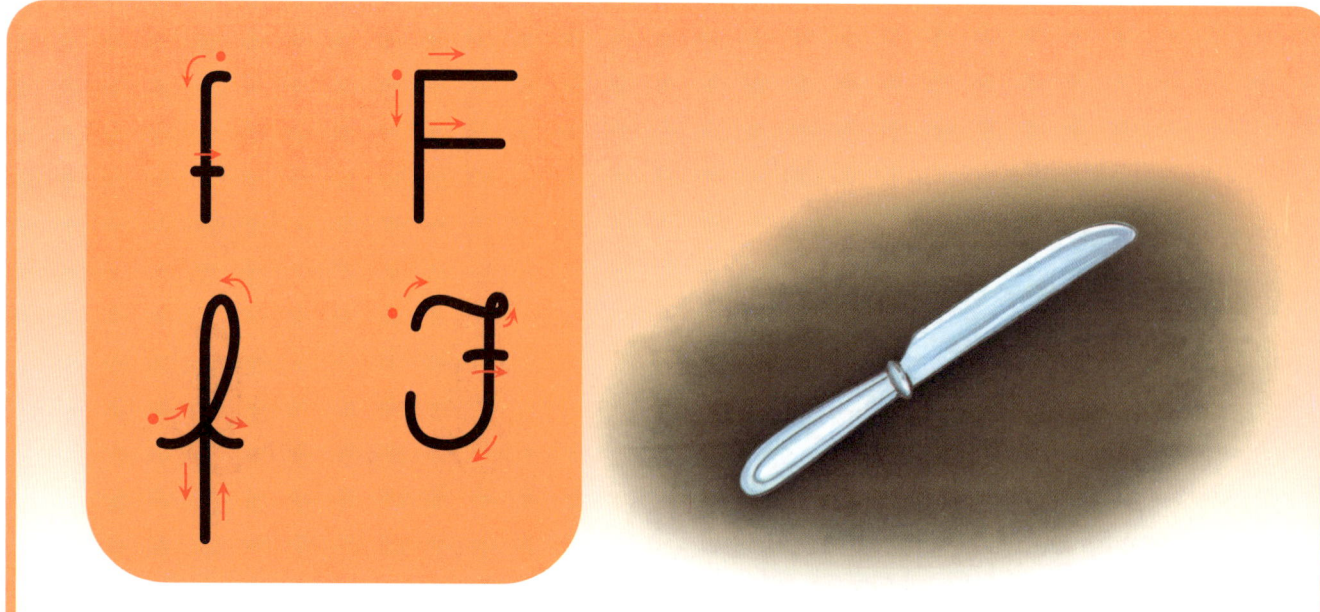

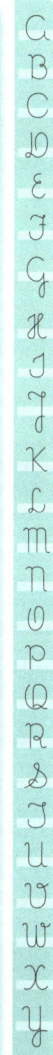

j j j j
J J J J

j j j j

j

ℑ ℑ ℑ ℑ

ℑ ℑ

j ℑ

k K

𝓀 𝒦

k k k k

K K K K

𝓀 𝓀 𝓀 𝓀

𝓀

𝒦 𝒦 𝒦 𝒦

𝒦

𝓀 𝒦

a b c d e f g h i j k l m n o p q r s t u v w x y z

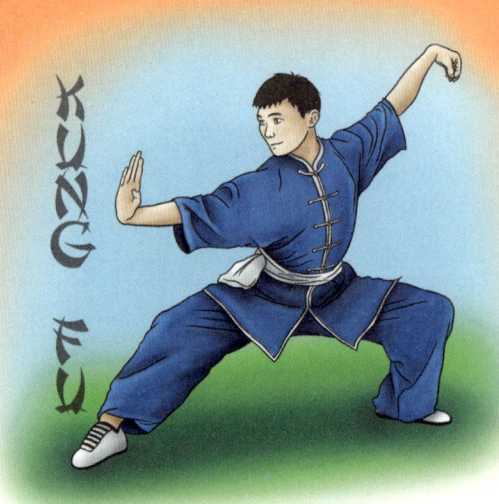

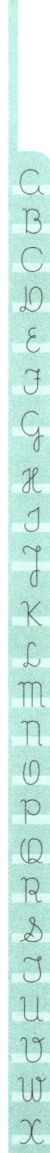

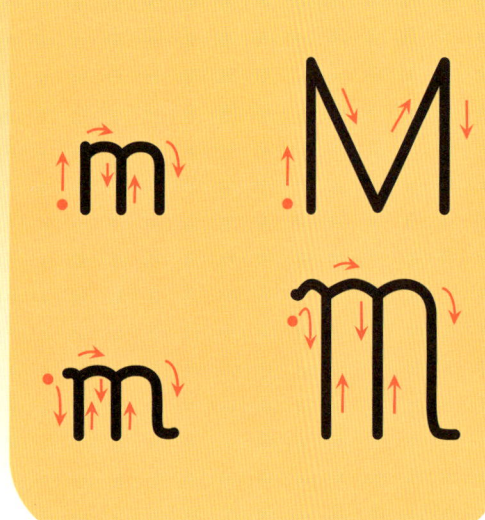

m m m m

M M M M

m m m m

m

m m m m

m

m m

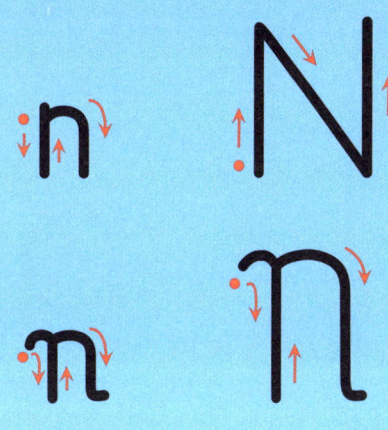

n n n n

N N N N

n n n n

n

∏ ∏ ∏ ∏

∏

∏ ∏

s S

s S

s s s s

S S S S

s s s s

s

S S S S

S

s S

A B C D E F G H I J K L M N O P Q R S T U V W X Y Z

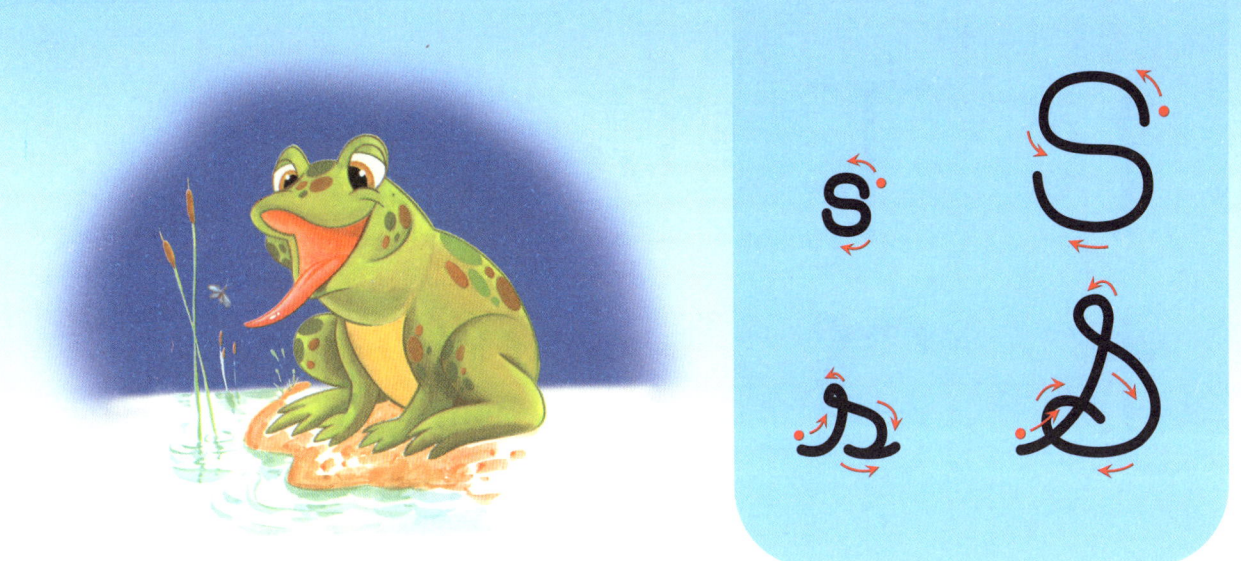

t T

t T

a b c d e f g h i j k l m n o p q r s t u v w x y z

t t t t

T T T T

t t t t

t

T T T T

T

t T

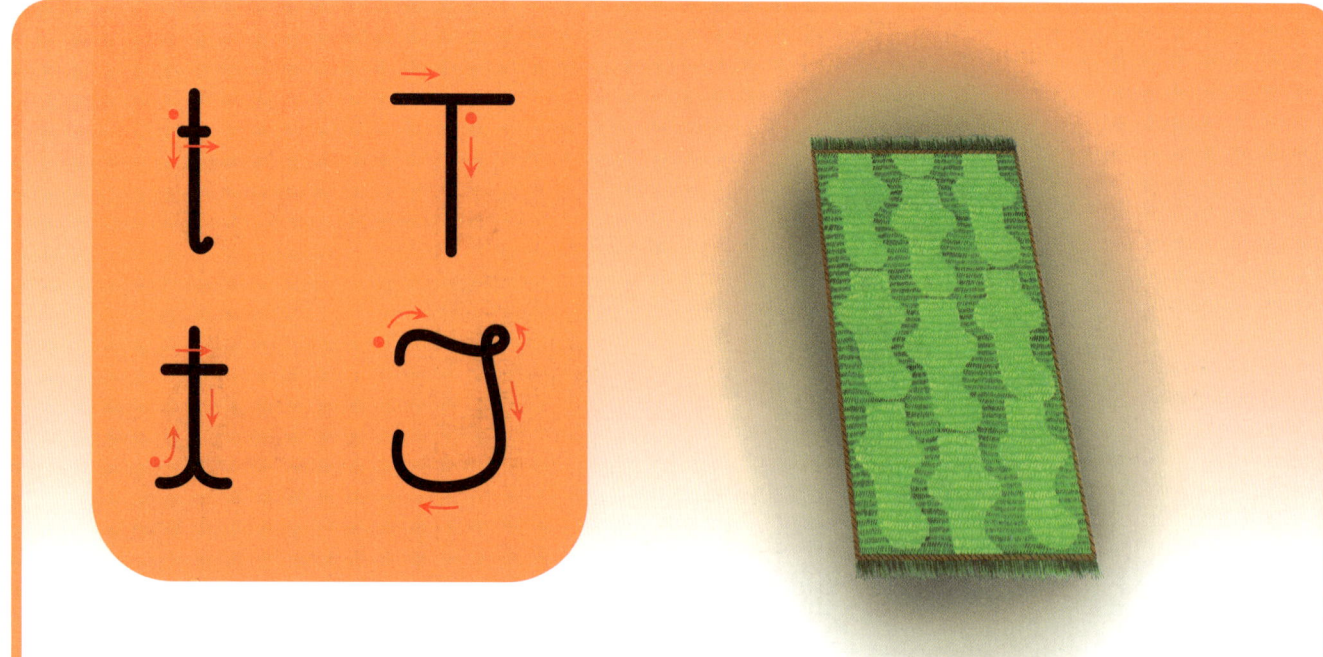

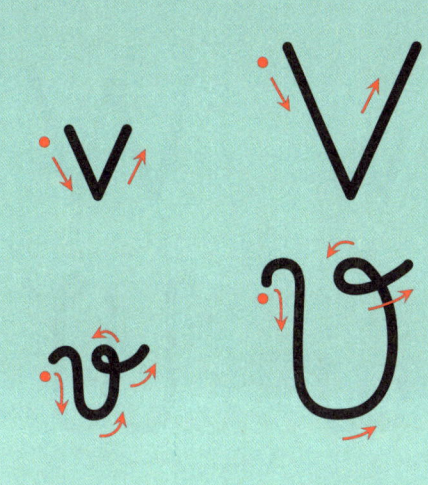
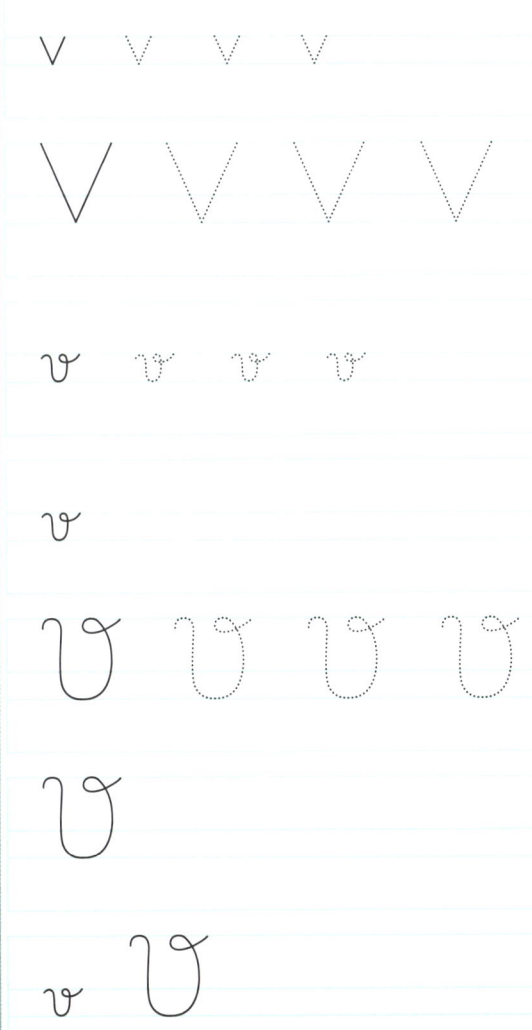

w W

w W

w w w w

W W W W

w w w w

w

W W W W

W

w W

a b c d e f g h i j k l m n o p q r s t u v w x y z

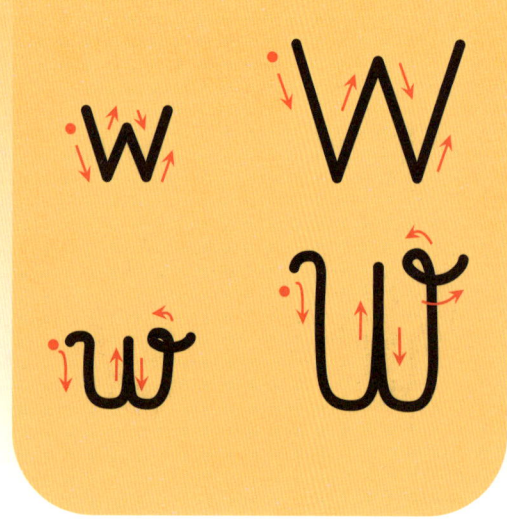

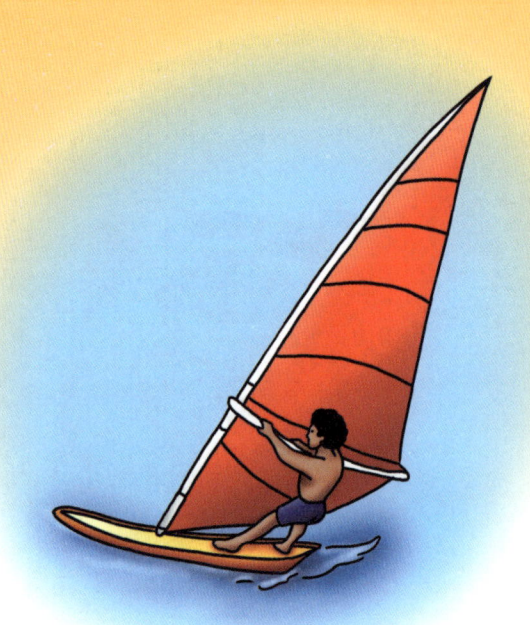

x x x x

X X X X

x x x x

x

X X X X

X

x X

A B C D E F G H I J K L M N O P Q R S T U V W X Y Z

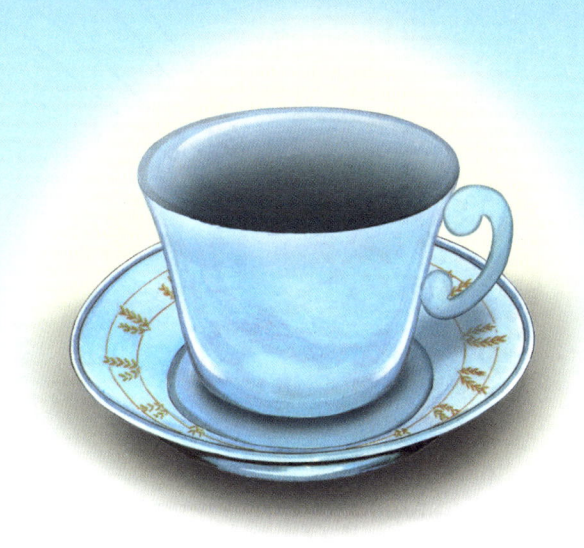

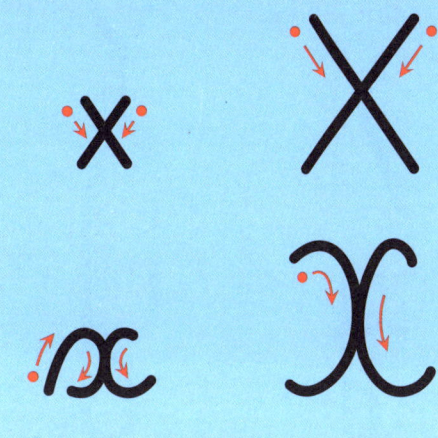

y Y

y Y

y y y y

Y Y Y Y

y y y y

y

Y Y Y Y

Y

y Y

a b c d e f g h i j k l m n o p q r s t u v w x y z

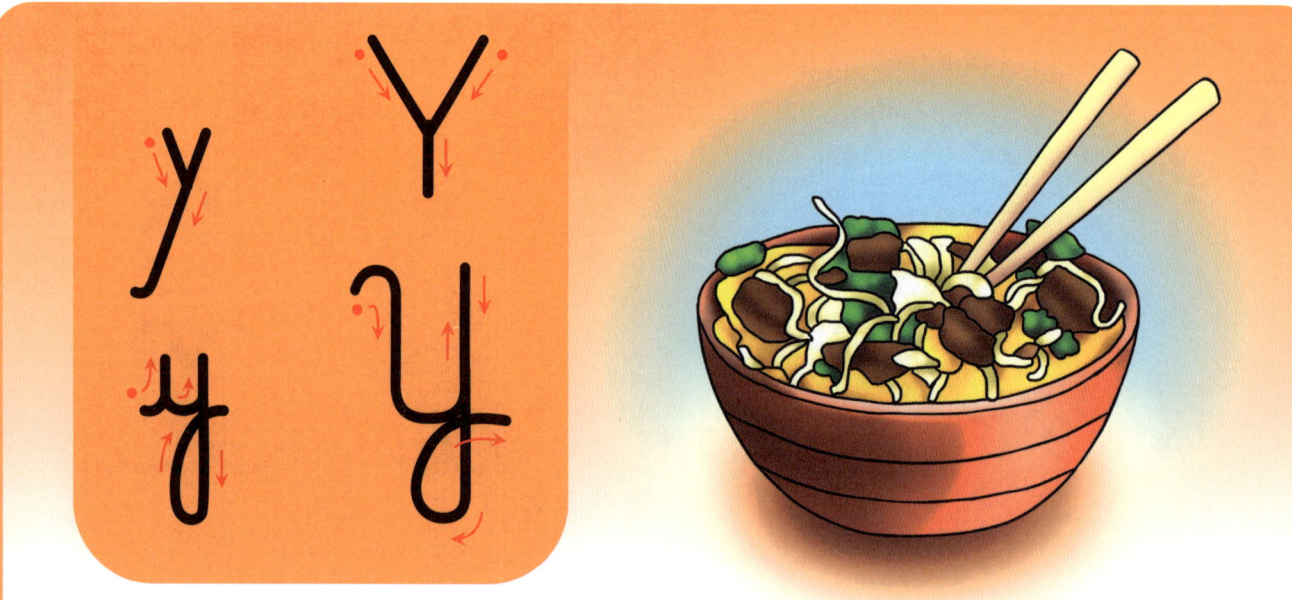

z z z z

Z Z Z Z

ʒ ʒ ʒ ʒ

Vamos recordar

Vogais

a A

e E

i I

o O

u U

Consoantes

b B

c C

d D

f F

g G

h H

j J

k K

l L

m M

Vamos praticar

anjo – anjo – anjo – anjo

anjo –

a

anjo

abelha – abelha – abelha

abelha –

a

abelha

bolo — bolo — bolo — bolo

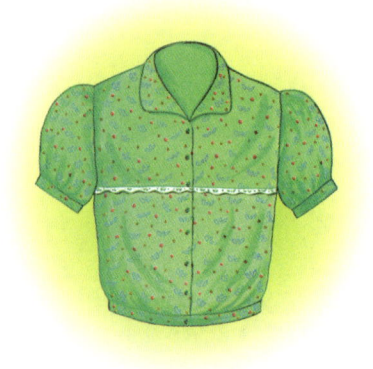

bolo —

b

bolo

blusa — blusa — blusa

blusa —

b

blusa

cebola – cebola – cebola

cebola –

c

cebola

coelho – coelho – coelho

coelho –

c

coelho

dado-dado-dado-dado

dado-

d

dado

Didi

Didi-Didi-Didi-Didi

Didi-

D

a b c d e f g h i j k l m n o p q r s t u v w x y z

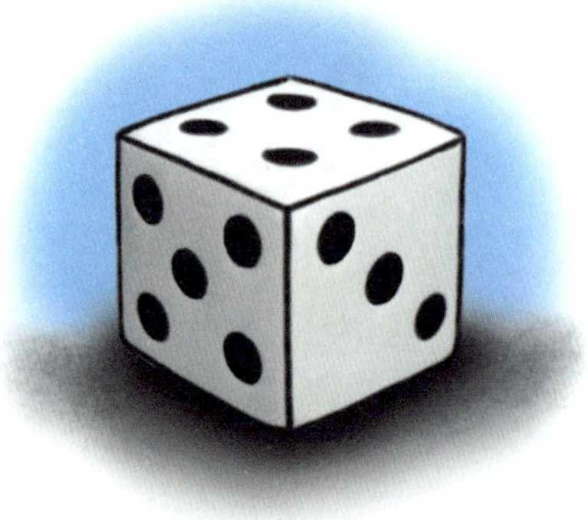

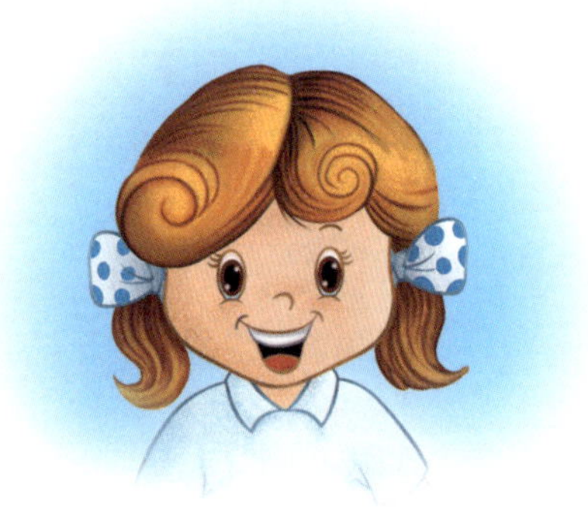

escola – escola – escola

escola –

e

escola

estrelas – estrelas

estrelas –

e

estrelas

flauta – flauta – flauta

flauta

f

flauta

flores – flores – flores

flores

f

flores

gato - gato - gato - gato

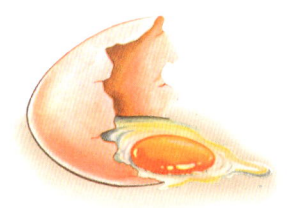

gato -

g

gato

gema - gema - gema - gema

gema -

g

gema

hélice – hélice – hélice

hélice –

h

hélice

horta – horta – horta

horta –

h

horta

a b c d e f g h i j k l m n o p q r s t u v w x y z

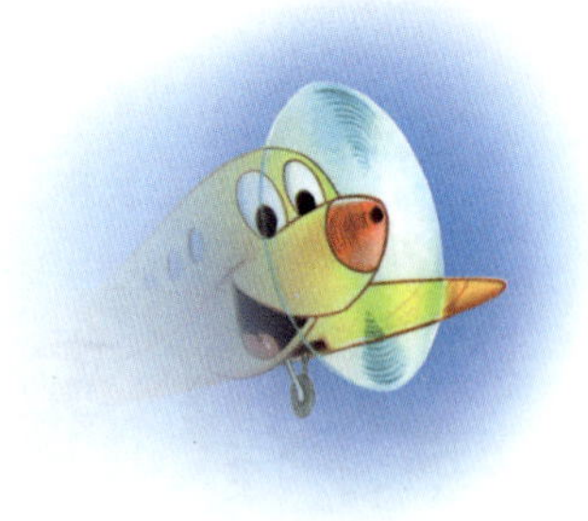

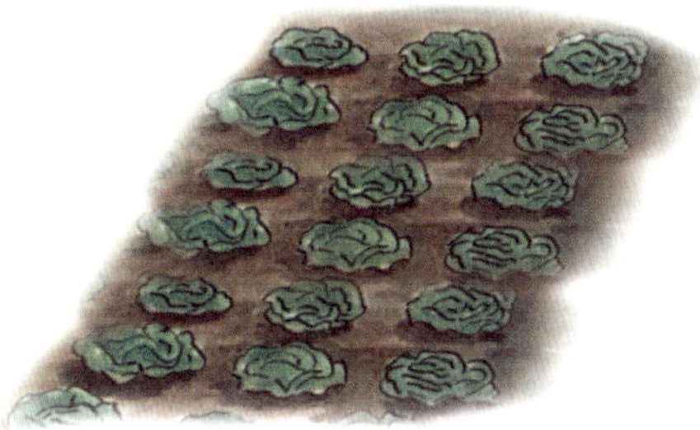

ímã – ímã – ímã – ímã

ímã –

í

ímã

ilha – ilha – ilha – ilha

ilha –

i

ilha

janela – janela – janela

janela –

j

janela

jiboia – jiboia – jiboia

jiboia –

j

jiboia

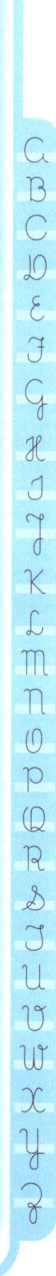

kart – kart – kart – kart

kart

k

kart

kiwi – kiwi – kiwi – kiwi

kiwi

k

kiwi

livro – livro – livro – livro

livro

l

livro

lãs – lãs – lãs – lãs – lãs

lãs

l

lãs

mão – mão – mão – mão

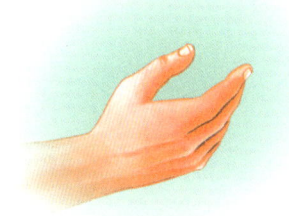

mão –

m

mão

minhoca – minhoca

minhoca –

m

minhoca

49

navio – navio – navio

navio

n

navio

números – números

números

n

números

óculos — óculos — óculos

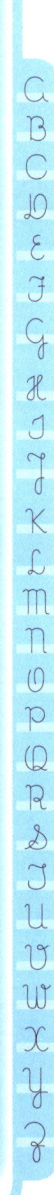

óculos —

ó

óculos

osso — osso — osso — osso

osso —

o

osso

pêssego – pêssego – pêssego

pêssego –

p

pêssego

prato – prato – prato

prato –

p

prato

a b c d e f g h i j k l m n o p q r s t u v w x y z

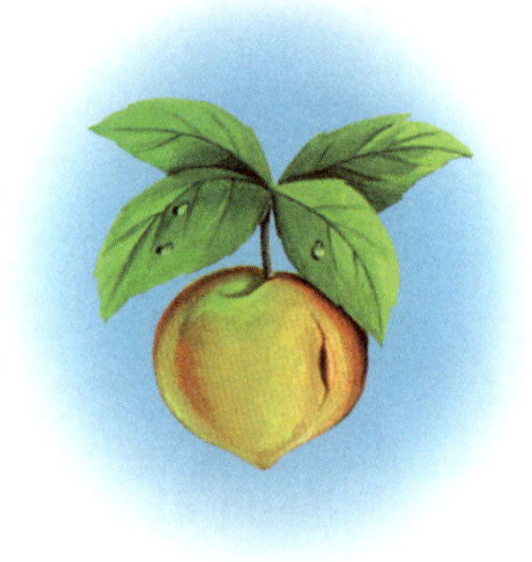

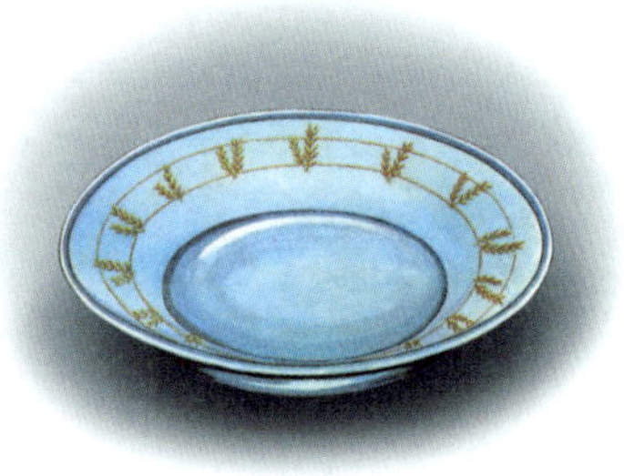

queijo – queijo – queijo

queijo –

q

queijo

quadro – quadro – quadro

quadro –

q

quadro

roupa — roupa — roupa

roupa —

r

roupa

roda — roda — roda — roda

roda —

r

roda

sapato − sapato − sapato

sapato −

s

sapato

sopa − sopa − sopa − sopa

sopa −

s

sopa

travesseiro – travesseiro

travesseiro –

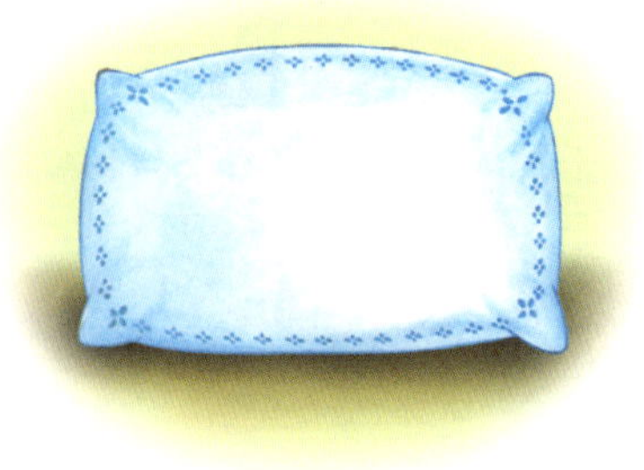

t

travesseiro

trenzinho

trenzinho – trenzinho

trenzinho –

t

a b c d e f g h i j k l m n o p q r s t u v w x y z

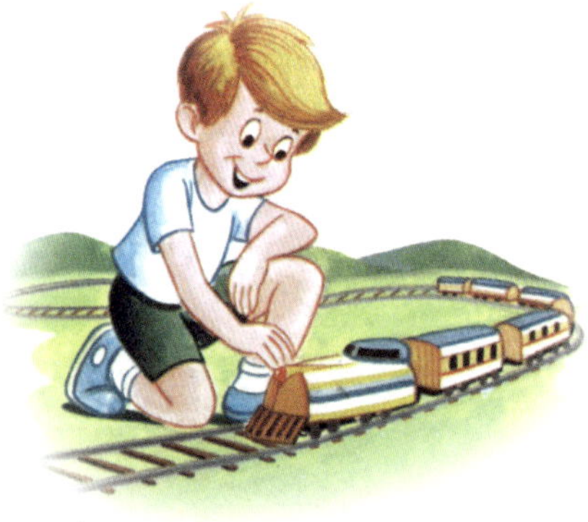

urso — urso — urso — urso

urso —

u

urso

vovô — vovó — vovô — vovó

vovô —

v

vovó

vovô

watts – watts – watts

watts –

w

watts

xadrez – xadrez – xadrez

xadrez –

x

xadrez

Yuri − Yuri − Yuri − Yuri

Yuri −

Y

Yuri

Zazá − Zazá − Zazá

Zazá −

Z

Zazá

Números

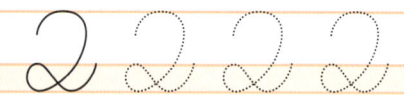

0 0 0 0

1 1 1 1

2 2 2 2

2

3 3 3 3

3

4 4 4 4

4

5 5 5 5

5

6 6 6 6

6

7 7 7 7

7

8 8 8 8

8

9 9 9 9

9

Meus amiguinhos

Nome: _____ Telefone: _____ E-mail: _____ Aniversário: _____	Nome: _____ Telefone: _____ E-mail: _____ Aniversário: _____
Nome: _____ Telefone: _____ E-mail: _____ Aniversário: _____	Nome: _____ Telefone: _____ E-mail: _____ Aniversário: _____
Nome: _____ Telefone: _____ E-mail: _____ Aniversário: _____	Nome: _____ Telefone: _____ E-mail: _____ Aniversário: _____

Nome: _____	Nome: _____
Telefone: _____	Telefone: _____
E-mail: _____	E-mail: _____
Aniversário: _____	Aniversário: _____

Nome: _____	Nome: _____
Telefone: _____	Telefone: _____
E-mail: _____	E-mail: _____
Aniversário: _____	Aniversário: _____

Nome: _____	Nome: _____
Telefone: _____	Telefone: _____
E-mail: _____	E-mail: _____
Aniversário: _____	Aniversário: _____

Nome: _____	Nome: _____
Telefone: _____	Telefone: _____
E-mail: _____	E-mail: _____
Aniversário: _____	Aniversário: _____

Nome: _____	Nome: _____
Telefone: _____	Telefone: _____
E-mail: _____	E-mail: _____
Aniversário: _____	Aniversário: _____

Nome: _____	Nome: _____
Telefone: _____	Telefone: _____
E-mail: _____	E-mail: _____
Aniversário: _____	Aniversário: _____

Nome: _____	Nome: _____
Telefone: _____	Telefone: _____
E-mail: _____	E-mail: _____
Aniversário: _____	Aniversário: _____

Conheça também:

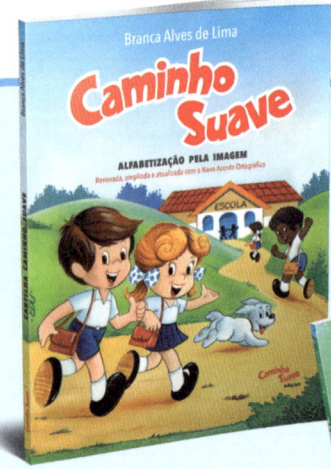

Cartilha Caminho Suave
Branca Alves de Lima

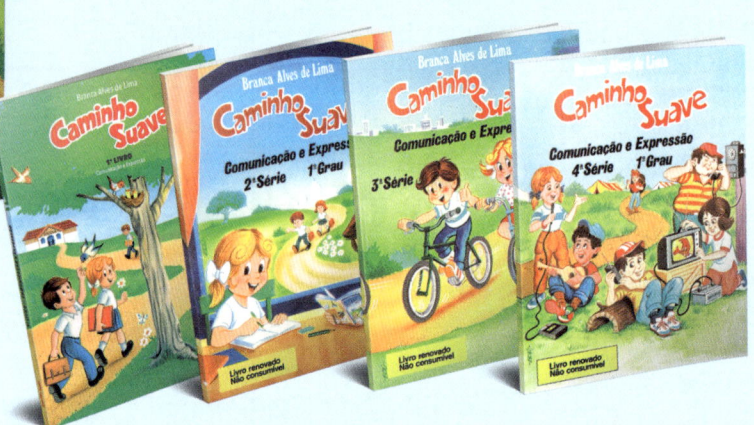

Comunicação e Expressão Caminho Suave – Livros 1º ao 4º
Branca Alves de Lima

**Livro de atividades Caminho Suave
4 e 5 anos**
Maíra Lot Micales

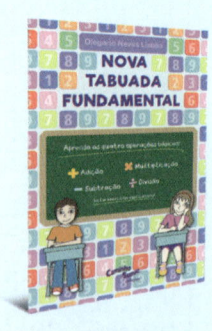

Nova Tabuada Fundamental
Olegario Neves Lisbôa

**Baralhinho Didático
da *Cartilha Caminho Suave***